Rhywun yn Rhywle...

Tudur Dylan Jones

Lluniau
Hannah Matthews

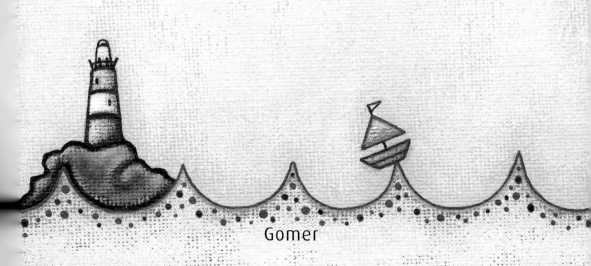

Gomer

'Argraffiad cyntaf – 2005

ISBN 1 84323 539 0

ⓑ cerddi: Tudur Dylan Jones
ⓑ lluniau: Hannah Matthews

Cedwir pob hawl. Ni chaniateir atgynhyrchu
unrhyw ran o'r cyhoeddiad hwn na'i gadw
mewn cyfundrefn adferadwy na'i
drosglwyddo mewn unrhyw ddull na thrwy
unrhyw gyfrwng, electronig, electrostatig,
tâp magnetig, mecanyddol, ffotogopïo,
recordio nac fel arall, heb ganiatâd ymlaen
llaw gan y cyhoeddwyr, Gwasg Gomer,
Llandysul, Ceredigion SA44 4JL

Dymuna'r cyhoeddwyr gydnabod cymorth
Cyngor Llyfrau Cymru.

Argraffwyd yng Nghymru gan Wasg Gomer,
Llandysul, Ceredigion SA44 4JL
www.gomer.co.uk

Rhagair

Dwi wedi bod wrth fy modd yn sgwennu'r cerddi yma. Dwi wedi ceisio gweld a chlywed a theimlo pethau, a dod â'r rhain i gyd at ei gilydd. Weithiau, rhyw ddigwyddiad bach sydd wedi rhoi syniad i fi am gerdd, dro arall, rhywbeth mae rhywun yn ei ddweud, neu rywbeth a welais i.

Weithiau, mae'r cerddi'n sôn am bethau anodd eu credu. Weithiau, maen nhw'n sôn am bethau sy'n digwydd bob dydd. Gobeithio y byddwch chi'n mwynhau'r cerddi yma, a byddai'n wych pe byddech chi'n mynd ati i sgwennu eich cerddi eich hun. Dydw i ddim yn gallu tynnu lluniau, ond dwi'n lwcus fod arlunydd wedi mynd ati i wneud y cerddi yma'n hardd i'r llygad. Gallwch chi fynd ati i dynnu eich lluniau eich hunain i fynd efo'ch cerddi chi. Dwi'n siŵr y cewch chi hwyl arbennig arni!

Tudur Dylan Jones

Cynnwys

Popeth i Bawb

(llenwa'r bylchau i wneud pennill i ti dy hun)

Fy enw i yw _____

Rwy'n berson _____ iawn

Rwy'n _____ yn y bore

Ac yn _____ yn y pnawn!

Myrddin

Flynyddoedd nôl yn nhref Caerfyrddin
roedd un dyn bach, a'i swydd oedd 'Dewin!'

Roedd hwn yn gallu sychu'r glaw,
a gwneud i ddau a dau droi'n naw!

Fe allai wneud i'r sêr ddiflannu,
a gwneud i heddiw ddilyn fory!

Gallai wneud i'r ddaear aros,
gallai wneud y pell yn agos!

Gallai wneud y mawr yn fach,
a throi y cleifion eto'n iach.

Gallai yfed Afon Tywi,
gallai glywed gwawr yn torri.

Gallai neidio dros y muriau,
gwneud beth bynnag roedd o eisiau.

Yma heddiw yng Nghaerfyrddin
hoffwn i gael swydd fel 'Dewin'.

Cysgod

Am hanner dydd mae wrth fy nhroed,
y peth lleiaf un a welais erioed.

Am dri o'r gloch mae wedi tyfu,
mae'n fwy na throedfedd o hyd erbyn hynny.

Ac erbyn chwech y prynhawn, wir i chi
mae'n awr wedi tyfu bron fwy na fi!

Ond erbyn naw, cyn i'r haul fynd lawr,
mae'r peth a fu'n fach wedi tyfu mor fawr,

nes ei fod yn ymestyn o'r fan hyn i'r fan draw,
a hyd 'noed yn fwy os coda i fy llaw!

A phan fydd yr haul wedi mynd i gysgu
fydda i ddim yn ei weld tan bore fory!

8

Sblash!

Ys gwn i be' fydd yn digwydd
wrth roi fy sgidie glaw newydd
i greu sblash ynghanol y dŵr?
Fydd Mam yn dechrau swnian
wrth weld fy nillad yn socian?
Bydd hi'n gwylltio yn gacwn, mae'n siŵr!

Fe fyddai'n well i mi beidio
mynd draw at y pwll, a neidio . . .
ond dwi'n dal yn mynd i wneud!
Dio ddim ots os bydda i'n diferu
ac y bydd gen i annwyd yfory,
a dio'm ots beth fydd Mam yn ei ddweud!

Jac y Do

Mi welais Jac y Do
yn eistedd ar ben to.
Mi fu'n eistedd yno am oesoedd maith
heb godi adain na symud chwaith.
Roedd yr adar eraill trwy'r dydd yn hedfan,
ond doedd y 'deryn hwn ddim yn gallu, druan.
Roedd o yno'n eistedd bob awr o'r dydd
a'r adar eraill yn hedfan yn rhydd.

Ond digwyddodd rhywbeth rhyfedd iawn
uwchben y to, rhyw un prynhawn . . .
Mi welais Jac y Do,
oedd yn eistedd ar ben to,
yn llawen i gyd ac yn uchel ei gân
yn hedfan ymhlith yr adar mân.
Roedd wedi edrych ar bob un arall,
roedd wedi dysgu, ac wedi deall.

Y diwrnod wedyn, wrth edrych fyny,
mi welais i rywbeth i'm rhyfeddu . . .
Doedd dim un Jac y Do
yn eistedd ar ben to!

Ar y Trampolîn

Pan neidiaf ar fy nhrampolîn,
ar draed, pen-ôl neu ar ben-glin,

fe af yn uwch ac uwch o hyd
nes sylwi ar fwy a mwy o'r byd,

ond wrth neidio'n uchel un prynhawn,
digwyddodd rhywbeth rhyfedd iawn –

anghofiodd fy nghorff fod angen disgyn,
ac roeddwn i'n codi a chodi wedyn.

Dwi yma o hyd yn hedfan fyny,
efallai y dof fi lawr rywbryd fory!

Ga i Fy Mhêl 'Nôl, Plîs?

Sori fod 'na stâd ar eich blodau,
sori fod y ffenest yn ddarnau,
ga i fy mhêl 'nôl, plîs?

Sori am y lwmp ar eich talcen
yr un maint a'r un siâp â thaten,
ga i fy mhêl 'nôl, plîs?

Wna i ddim ei wneud o eto,
wna i ddim, dwi wir yn addo,
ga i fy mhêl 'nôl, plîs?

O, diolch, Mr Ceredig,
am gicio'r bêl 'nôl mor garedig.

O na! Fe ddigwyddodd eto,
mae fy mhêl fan draw wedi glanio!
Ym . . . Mr Ceredig,
a fyddech chi mor garedig . . ?
Ga i fy mhêl 'nôl, plîs?

Hisssssssssssssss!

13

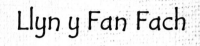

Llyn y Fan Fach

A'r heulwen ar ei gryfaf
un haf drwy'r bryniau hyn,
roedd yno un a glywai
sŵn llais yn dod o'r llyn,
ac yn y llais roedd gwên y lli,
ac yntau'n galw'i henw hi.

Dod draw fel tywysoges
yn gynnes dros y gwair,
a'r bugail bychan wedyn
yw'r un sy'n rhoi ei air,
yn rhoi ei air na fwrai hon
a ddaeth o'r hafan dan y don.

Ond 'nôl yr aeth i'w bywyd
mor fud yn Llyn y Fan,
nes nad oedd sŵn ei cherdded
i'w glywed ar bob glan,
ac mae'r holl leisiau uwch y lli
yn dal i alw'i henw hi.

Ar y We

Flynyddoedd maith a mwy yn ôl
pan oedd rhieni'n fychan,
roedd ganddynt lyfrau i'w helpu nhw
llyfrau . . . a dyna'r cyfan.

Wrth chwilio am bob ffaith trwy'r byd
roedd rhaid mynd draw i'r llyfrgell,
a chwilio trwy bob silff a llyfr,
pob paragraff a llinell.

Brawddegau llonydd oedden nhw
na allech chi eu clicio,
a lluniau llonydd a di-liw'n
gwneud dim ond aros yno.

Ond pob gwybodaeth sydd gen i,
mae nawr ar flaen fy mysedd,
a gallaf fynd mewn dim drwy lyfr
o'i ddechrau draw i'w ddiwedd.

A lluniau newydd sydd gen i
o haul a sêr a lleuad,
y maen nhw'n symud o fy mlaen
ac mae fy lluniau'n siarad.

Pa bethau newydd fydd i'n plant
r'ym ninnau nawr yn holi,
flynyddoedd maith a mwy ymlaen
pan fyddwn *ni'n* rhieni.

Y Tri Brawd

A glywsoch chi yr hanes am Rhys a Siôn a Llŷr
yn ceisio hwylio yr holl ffordd i'r traeth ar Ynys Bŷr?

Fe ddaeth y gwynt, a gafael yn Llŷr a Rhys a Siôn
gan godi'r tri yn uchel bob cam i Ynys Môn.

A druan bach o'r brodyr, roedd Siôn a Llŷr a Rhys
eisiau mynd 'nôl i'r Hendy, a hynny wir ar frys.

Ond trodd y gwynt, a gafael yn Llŷr a Rhys a Siôn
a'u gyrru 'nôl i'w cartre, ymhell o Ynys Môn.

Ac felly, dyna'r hanes am Rhys a Siôn a Llŷr
a fentrodd hwylio yr holl ffordd i'r traeth ar Ynys Bŷr.

Beth am Fynd?

Beth am fynd lawr i weld y tonnau,
a mynd ar gwch a chodi'r hwyliau,
dim ond ni'n dau am oriau, oriau?

Beth am fynd draw i'r ynys dawel
lle nad oes sŵn ond sŵn yr awel?

Beth am fynd mewn i'r dŵr i nofio
a gweld y morloi'n chwarae cuddio?

A beth am wrando cân yr wylan
uwch tywod aur a thonnau arian?

Beth am fynd 'nôl yn sŵn yr hwyliau,
neu beth am aros gyda'r tonnau,
dim ond ni'n dau am oriau, oriau?

Heddiw

Rywdro rhwng gwawr a machlud,
rhwng deffro'r dydd a'r hwyr,
bydd 'na rywun rhywle'n arwr;
ond pwy? Does neb a wŷr.

Yn rhywle bydd 'na rywun,
yn agos neu ymhell,
yn agor pwll y galon
i swyno'r byd yn well.

Bydd 'na rywun yn helpu un arall
nad yw'n gwybod lle i droi,
a'r un sydd wir yn derbyn
yw'r un sy'n dysgu rhoi.

Bydd 'na fam yn rhywle'n magu
un baban yn ei chôl,
bydd 'na rywun wedi gwenu
heb ddisgwyl gwên yn ôl.

Ac efallai bydd dieithryn
yn dod i estyn llaw,
neu rywun yn dod â'i gysgod
i'th gadw rhag y glaw.

Heddiw rhwng gwawr a machlud,
rhwng deffro'r dydd a'r hwyr,
bydd 'na rywun rhywle'n arwr
ond pwy? Does neb a ŵyr.

Ond efallai fod y 'rhywle'
yn ein gwlad fach ni,
ac efallai'n wir mai'r 'rhywun'
heddiw a fyddi di.

Y Ddeilen Fach

Rwyt ti'n unig dy fyd ar y gangen uchel,
a dim ond y ti sy'n siglo'n yr awel.

Mae dy ffrindiau bach wedi disgyn i'r llawr
a dim ond y ti sydd ar ôl yn awr.

Pam, ddeilen fach, wyt ti'n dal yn dynn
ynghanol y rhew a'r eira gwyn?

Ydy cangen mis Tachwedd yn sibrwd, 'Paid!'
Wyt ti'n hoffi dy le, neu yn ofni'r naid?

Pam wyt ti'n crynu, beth achosodd y braw?
Wnest ti glywed y gwynt yn codi draw?

Car Bach Hud

Dydy'r teulu ddim yn gwybod,
ond mae gen i gar bach hud,
rwy'n gallu'i yrru ddydd neu nos
a mynd i bellter byd.

Does dim angen drop o betrol
er mwyn cychwyn ar y daith,
a does dim angen pasio'r prawf
na gwisgo gwregys chwaith.

Mae'n brêcio a chyflymu,
a throi i'r chwith a'r dde,
mae'n barod iawn i fynd â fi
yn wir i unrhyw le.

Er mai ond un sydd ynddo
mae'r car yn llawn o sbri,
ac yn hollol anweledig
i bawb trwy'r byd . . . ond fi!

Yr Arwydd

Roedd arwydd yn sefyll yn dal uwch y lle,
y castell i'r chwith a Chwm Plysgog i'r dde.

Roedd y castell a'i furiau yn oer a di-liw,
ac roedd sŵn yr hen ryfel o hyd ar fy nghlyw.

I'r dde roedd Cwm Plysgog, lle tawel, di-stŵr,
heb ddim ond sŵn pysgod yn dawnsio drwy'r dŵr.

Dim ond un sydd yn gwbod pa ffordd yr es i,
ai at sŵn y rhyfel, neu at lan y lli?

Rhyw ddydd fe ddoi dithau i weld fod pob lle
â chastell i'r chwith, a Chwm Plysgog i'r dde.

25

Tân Gwyllt

Mae Tachwedd llawn rhyfeddod
a'r taniad awr eto'n dod,
uwch yr hwyr daw fflach o wres,
cannoedd o wreichion cynnes
yn chwyrlïo heno'n lân
i'r gorwel aur ac arian.

Holl sŵn y lliw sy'n y lle
a'r haul ar goll yn rhywle,
a Mam a Nain yn mwynhau'n
y cawodydd cleciadau,
cawodydd o rocedi
fel glaw dur drwy'n hawyr ni.

Oren ac aur, yna gwyn,
ychydig o goch wedyn,
a draw, un Guto druan
ddaw i ben ar domen dân,
haid o blant yn codi bloedd,
a melyn fesul miloedd.

A bore'n gwawrio'n barod
fe ddaeth heno i beidio bod,
mae'r fflamau a'r lliwiau'n llwch,
a dwli yn dawelwch,
lliwiau llwyd sydd hyd y lle
a'r haul yn ôl o rywle.

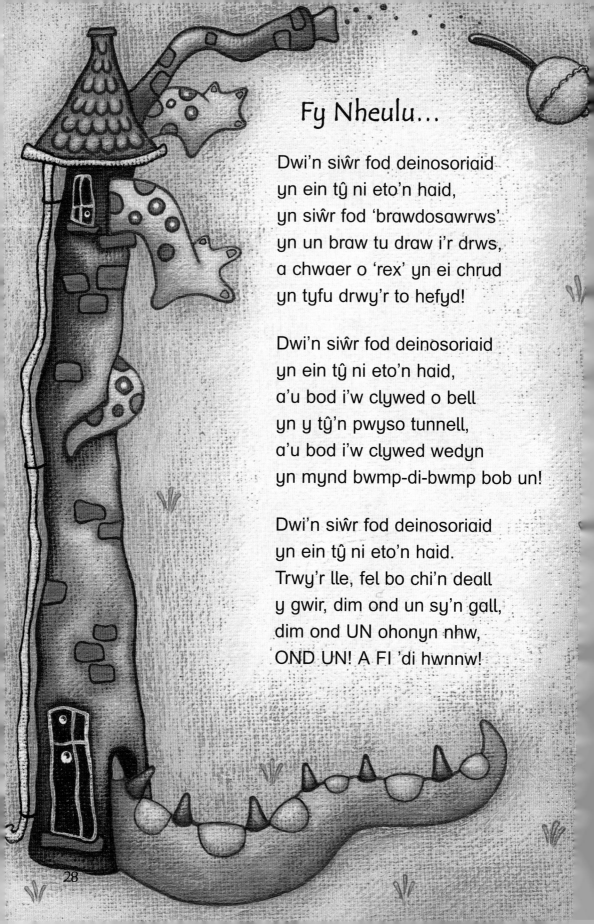

Fy Nheulu...

Dwi'n siŵr fod deinosoriaid
yn ein tŷ ni eto'n haid,
yn siŵr fod 'brawdosawrws'
yn un braw tu draw i'r drws,
a chwaer o 'rex' yn ei chrud
yn tyfu drwy'r to hefyd!

Dwi'n siŵr fod deinosoriaid
yn ein tŷ ni eto'n haid,
a'u bod i'w clywed o bell
yn y tŷ'n pwyso tunnell,
a'u bod i'w clywed wedyn
yn mynd bwmp-di-bwmp bob un!

Dwi'n siŵr fod deinosoriaid
yn ein tŷ ni eto'n haid.
Trwy'r lle, fel bo chi'n deall
y gwir, dim ond un sy'n gall,
dim ond UN ohonyn nhw,
OND UN! A FI 'di hwnnw!

Dyna Ryfedd!

Mae gen i wddw y jiráff
ac adenydd fel rhai gwenyn,
mae gen i glustiau fel rhai buwch
a thrwyn mor hir ag asyn.

Mae gen i big yr eryr mawr,
mae lliw fy nghroen fel sebra
mae 'nghoesau i'n rhai bwji bach
a 'nhraed fel traed coala.

Mae gen i drwnc fel eliffant
a rhes o ddannedd ci,
a gallaf ddweud na welais neb
sydd cweit 'run fath â fi!

Cân Cara

Cael croesi ar gwch dros y tonnau,
a chael teithio mewn car ar y dde,
cael gweld yr holl flodau mawr lliwgar
a rhyfeddu at y bwyd sy'n y lle.

Cael cyfle i ddweud geiriau gwahanol
fel *ça va, bonjour, je t'adore*,
cael mynd i ran uchaf Tŵr Eiffel
a chael blas ar falwod y môr.

Cael bwyta caws gwyn a chaws melyn,
rhoi *beret* ar fy mhen yn lle het,
cael *croissant au chocolat* i frecwast
a chael bara o'r enw *baguette*.

Ac yna ar ddiwedd y gwyliau
cael teithio yn ôl dros y lli,
cael mynd gydag Ifan i Grwbin
i ddweud am y gwyliau ges i.

31

Siôn Corn a Fi

Dwi'n cysgu, a fo yn effro
am un, neu am ddau, neu dri;
y fo sydd yn llenwi'r hosan,
a'i gwneud hi'n wag wnaf fi.

Da'n ni'n dau fel tîm bob blwyddyn,
mae Siôn Corn yn andros o foi,
y fi ydy'r un sy'n derbyn.
a fo ydy'r un sy'n rhoi!